Galette devient chef cuisinier!

Lina Rousseau • Marie-Claude Favreau

Dominique et compagnie

Galette arrive
au **marché**
avec son petit panier.

Excité, il accroche
les affiches qu'il a fabriquées.

Avant de commencer,
Galette met sa toque de chef cuisinier.

Pour tous les passants, petits et grands,
il inventera des recettes secrètes !

Attention! Champignons et oignons?
Hum... délicieux en accordéon!

Et toi, tu aimes les petits pois?
Savoure-les un à la fois!

Quel bonheur ! Cuire le chou-fleur
à la vapeur, ça met toujours de bonne humeu[r]

Recette de grand-mère: du gruyère sur les pommes de terre, c'est extraordinaire!

Eh, par ici! Achète un brocoli et des radis,
et obtiens un pied de céleri gratuit!

Quelle popote! Ajoute des poireaux dans la cocotte et attends que ça mijote!

Citrouille ! Et voilà
les aubergines changées en ratatouille !

Pas de caprice! Grignote tes 3 maïs et puis... hop! À l'exercice!

Quel tohu-bohu! Essaie mon sandwich
à la laitue et au fromage fondu.

Hé, ho! Prends les haricots, petits et gros, et ajoute-les à ta salade d'artichauts.

Tirebouchon! Goûte à ce poivron
avant de te sauver, petit Fripon!

Écarlate, la tomate! Est-ce un fruit
ou un légume? Question délicate!

Ciboulette! Qu'est-ce qui se cache dans l'omelette? Courge ou courgette?

Quel tintamarre dans le placard!
Mais qui craint tant les épinards?

Grrri! Grrri! C'est mon ventre qui crie
Quelle journée animée! Galette est affamé

«Hé ho, hé ho,
Galette rentre du boulot!»

Youpi ! Ses amis ont préparé une sauce épicée pour accompagner les crudités !

Oh là là! Il y a aussi des fruits
enrobés de chocolat... Hourra !

À ton tour, maintenant !
Peux-tu nommer quelques-uns
des légumes cuisinés par Galette ?
Et toi ? Quels sont tes légumes préférés ?